मीर तक़ी

मीर

AF897378

मशहूर शायरों की प्रतिनिधि शायरी

प्रभाकर
प्रकाशन

इस पुस्तक का प्रकाशन एवं विक्रय इस शर्त पर किया जा रहा है कि प्रकाशक की लिखित पूर्वानुमति के बिना इस पुस्तक या इसके किसी भी अंश को न तो पुनः प्रकाशित किया जा सकता है और न ही किसी भी अन्य प्रकार से, किसी भी रूप में इसका व्यावसायिक उपयोग किया जा सकता है। यदि कोई व्यक्ति ऐसा करता है तो उसके विरुद्ध क़ानूनी कार्रवाई की जा सकती है।

ISBN: 978-93-95242-87-5

eISBN: 978-93-95242-88-2

© प्रकाशकाधीन

प्रकाशकः प्रभाकर प्रकाशन
प्लॉट नं.-55, मेन मदर डेयरी रोड
पांडव नगर, ईस्ट दिल्ली-110092
फोनः 011-40395855

ई-मेलः sales@pharosbooks.in
वेबसाइटः www.prabhakarprakashan.com

संस्करणः 2022

मुद्रकः सुषमा बुक बाइंडिंग हाउस ओखला इंडस्ट्रियल
एरिया फेस-II, नई दिल्ली-110020

मीर तक़ी मीर

मशहूर शायरों की प्रतिनिधि शायरी

परिचय

खुदा-ए-सुखन मोहम्मद तकी उर्फ़ मीर तक़ी 'मीर' (1723-1810) उर्दू एवं फ़ारसी भाषा के महान शायर थे। मीर को उर्दू के उस प्रचलन के लिए याद किया जाता है जिसमें फ़ारसी और हिन्दुस्तानी के शब्दों का अच्छा मिश्रण और सामंजस्य हो। अहमद शाह अब्दाली और नादिरशाह के हमलों से कटी-फटी दिल्ली को मीर तक़ी मीर ने अपनी आँखों से देखा था। इस त्रासदी की व्यथा उनकी रचनाओं मे दिखती है। अपनी ग़ज़लों के बारे में एक जगह उन्होंने कहा था–

हमको शायर न कहो मीर कि साहिब हमने
दर्दो ग़म कितने किए जमा तो दीवान किया

मीर का जन्म आगरा (अकबरपुर) मे हुआ था। उनका बचपन अपने पिता की देखरेख में बीता। उनके प्यार और करुणा के, जीवन में महत्त्व के प्रति नजरिये का, मीर के जीवन पर गहरा प्रभाव पड़ा। जिसकी झलक उनके शे'रो में भी देखने को मिलती है। पिता के मरणोपरांत, ग्यारह वर्ष की उम्र में, इनके ऊपर तीन सौ रुपयों का क़र्ज़ था और पैतृक सम्पत्ति के नाम पर कुछ किताबें। सत्रह साल की उम्र में वे दिल्ली आ गए। बादशाह के दरबार में एक रुपया वजीफ़ा मुक़र्रर हुआ। इसको लेने के बाद वे वापस आगरा आ गए।

'मीर' साहब के अपने कहे के अनुसार उनके बारे में राय कैसे बनायी जा सकती हैं? तटस्थ रूप से देखने पर दिखाई देता है कि मीर पर बचपन और जवानी के दिनों में ज़रूर मुसीबतें पड़ी, लेकिन प्रौढ़ावस्था और बुढ़ापे में उन्हें बहुत सुख और सम्मान मिला। जिन लोगों के साथ ऐसा होता है, वे साधारणतः दूसरों के प्रति और अधिक सहानुभूति रखने वाले मृदु-भाषी और गंभीर हो जाते हैं। 'मीर' की कटुता उनके अंत समय तक न गई। मनोवैज्ञानिक

दृष्टि से इसका एक ही कारण हो सकता है। वह यह कि 'मीर' प्रेम के मामले में हमेशा असफल रहे और जीवन के इस बड़े भारी प्रभाव ने उनके अवचेतन मस्तिष्क में घर करके उनमें असाधारण कटुता भर दी।

मीर ने उर्दू के छः दीवान संकलित किए जिनमें ग़ज़लों के इलावा क़सीदे, मसनवियाँ, रुबाईयाँ और वासोख़्त वग़ैरा शामिल हैं। नस्र में उनकी तीन किताबें "नकात-उल-शोरा", "ज़िक्र-ए-मीर" और "फ़ैज़-ए-मीर" हैं। पश्चात उल्लेखित उन्होंने अपने बेटे के लिए लिखी थी। उनका एक फ़ारसी दीवान भी मिलता है।

☙ 1 ❧

अब के बहुत है शोरे बहारॉ[1] हमको मत ज़ंजीर करो
दिल से हवस[2] टुक हम भी निकालें घूमें हमको मचाने दो

अरसा[3] कितना सरे जहॉं[4] का वहशत[5] पर जो आ जावें
पॉंव तो हम फैला देंगे, पर फ़ुर्सत हमको पाने दो

क्या जाता है इसमें हमारा चुपके हम तो बैठे हैं
दिल जो समझना था सो समझा, नासेह[6] को समझाने दो

बात बनाना मुश्किल-सा है, शे'र सभी यॉं कहते हैं
फ़िक्रे बलन्द[7] से यारों को इक ऐसी ग़ज़ल कहलाने दो

1. बहारों का शोर, 2. लोलुपता, 3. अवधि, 4. संसार, 5. पागलपन, 6. उपदेशक, 7. उच्च कल्पना।

2

अब तो चुप लग गयी है हैरत[1] से
फिर खुलेगी ज़ुबान जब की बात

नुक़्ता दानाने रफ़्ता[2] की न कहो
बात वो है जो होवे अब की बात

किसका रू ए सुख़न[3] नहीं है इधर
है नज़र में हमारी सब की बात

ज़ुल्म है क़हर[4] है क़यामत[5] है
गुस्से में उसके ज़ेरे लब[6] की बात

1. आश्चर्य 2. कला मर्मज्ञ 3. संबोधन 4. विपत्ति 5. प्रलय 6. होंठों ही होंठों में।

3

अल्लाह रे अन्दलीब[1] की आवाज़े दिलख़राश[2]
जी ही निकल गया जो कहा उन ने हाय गुल

मक़्दूर[3] तक शराब से रख अंखड़ियों में रंग
ये चश्मके प्याला[4] है साक़ी हवा ए गुल[5]

बुलबुल हज़ार जी से ख़रीदार उसकी है
ऐ गुलफ़रोश[6] करियो समझकर बहा ए गुल[7]

गुलचीं[8] समझ के दुनियो कि गुलशन में 'मीर' के
लख़्ते जिगर[9] पड़े हैं नहीं बर्ग हाए गुल[10]

---

1. बुलबुल 2. दिल को चीर देने वाली आवाज़ 3. साहस 4. प्याले का इशारा 5. फूल की इच्छा 6. फूल बेचने वाला 7. फूल का मूल्य 8. फूल तोड़ने वाला 9. जिगर का टुकड़ा 10. फूल की कलियाँ।

4

अल्लाह रे गुरूर ए नाज़[1] तेरा
मुतलक़[2] नहीं हमसे साज़[3] तेरा

हमसे कि तुझी को जानते हैं
जाता नहीं एहतेराज़[4] तेरा

मिल जिनसे शराब तू पिये है
कह देते हैं वो ही राज़[5] तेरा

कुछ इश्क़ ओ हवस[6] में फ़र्क़ भी कर
किधर है वो इम्तियाज़[7] तेरा

कहते न थे 'मीर' मत कुढ़ा कर
दिल हो न गया गुदाज़[8] तेरा

1. घमण्ड 2. बिलकुल 3. मेल 4. हस्तक्षेप 5. भेद 6. प्रेम और लोलुपता 7. अन्तर 8. कोमल।

5

आग-सा तू जो हुआ ऐ गुले तर[1] आन[2] के बीच
सुब्ह की बाव[3] ने क्या फूँक दिया कान के बीच

हाल गुलज़ारे ज़माना[4] का है जैसे कि शफ़क़[5]
रंग कुछ और ही हो जाए है इक आन के बीच

ताक[6] की छाँव में जूँ मस्त पड़े सोते हैं
ऐंडती हैं निगहें[7] साया ए मिज़शगान[8] के बीच

हम न कहते थे कहीं ज़ुल्फ़[9] कहीं रुख़[10] न दिखा
इक ख़िलाफ़[11] आया न हिन्दू ओ मुसलमान के बीच

बावजूद ए मिलकियत[12] न मलक[13] में पाया
वो तक़द्दुस[14] कि जो है हज़रते इंसान[15] के बीच

जैसी इज़्ज़त मेरी दीवाँ[16] में अमीरों के हुई
वैसी ही उनकी भी होगी मेरे दीवान के बीच

घर में आईने के कब तक तुम्हें नाज़ाँ[17] देखूँ
कभी तो आओ मेरे दीद ए हैरान[18] के बीच

1. ताज़ा फूल 2. क्षण 3. प्रात:काल की हवा 4. बाग़रूपी संसार 5. अरुणिमा 6. अंगूर की बेल 7. दृष्टि 8. पलकों का साया 9. बालों की लट 10. चेहरा 11 विरोध 12. फ़रिश्तापन के बाद भी 13. फ़रिश्ता 14. पवित्रता 15. मानव 16 ग़ज़लों का संग्रह 17. नाज़ करते हुए 18. आश्चर्य में डूबी हुई आँखें।

6

आजकल बेक़रार[1] हैं हम भी
बैठ जा चलने हार हैं हम भी

आन में कुछ हैं, आन में कुछ हैं
तोहफ़ा ए रोज़गार[2] हैं हम भी

मना' ए गिरिया[3] न कर तू ऐ नासेह[4]
इसमें बेइख़्तियार[5] हैं हम भी

मुद्दई[6] को शराब[7] हमको ज़ह्र
आक़बत[8] दोस्तदार[9] हैं हम भी

गर ज़ख़ुद रफ़्ता[10] है तेरे नज़्दीक[11]
अपने तो यादगार हैं हम भी

'मीर' नाम इक जवाँ सुना होगा
उसी आशिक़[12] के यार[13] हैं हम भी

---

1. बेचैन 2. दुनिया की भेंट 3. रोने से मना करना 4. उपदेशक 5. बरबस 6. प्रतिवादी 7. भागीदार 8. अन्ततः 9. मित्र 10. बेसुध 11. निकट 12. प्रेमीजन 13. मित्र।

7

आज हमें बेताबी[1] सी की सब्र[2] की दिल से रुख़सत[3] थी
चारों ओर निगाह करने में आलम-आलम[4] हसरत[5] थी

बदनामी क्या इश्क़ की कहिये रुस्वाई[6] सीरुस्वाई है
सहरा-सहरा[7] वहशत[8] भी थी दुनिया-दुनिया तुह्मत[9] थी

राह की कोई सुनता न था याँ रस्ते में मानिन्दे जरस[10]
शोर-सा[11] करते जाते थे हम बात की किसको ताक़त थी

जो उठता है याँ से बगूला हम-सा है आवारा कोई
इस वादी[12] में 'मीर' मगर सरगश्ता[13] किसू की तुरबत[14] थी

1. बेचैनी 2. धीरज 3. विदाई 4. संसार 5. इच्छा 6. बदनामी 7. जंगल 8. पागलपन 9. आरोप 10. कारवाँ की घण्टियों की आवाज़ की भाँति 11. कोलाहल 12. घाटी 13. आवारा 14. क़ब्र।

꧋ 8 ꧋

आ जायें हम नज़र जो कोई दम बहुत है याँ
मुहलत हमें बसाने शरर[1] कम बहुत है याँ

हासिल[2] है क्या सिवा ए तराई के दह्र[3] में
उठ आसमाँ[4] तले से कि शबनम[5] बहुत है याँ

इस बुतक़दे[6] में माना[7] का किससे करें सवाल
आदम नहीं है सूरते आदम बहुत है याँ

आलम[8] में लोग मिलने की गों अब नहीं रहे
हरचन्द[9] ऐसा-वैसा तो आलम बहुत है याँ

मेरे हलाक[10] करने का ग़म है अबस[11] तुम्हें
तुम शाद[12] ज़िन्दगानी करो ग़म बहुत है याँ

शायद कि काम सुबह तक अपना खिंचे न 'मीर'
अहवाल[13] आज शाम से दरहम[14] बहुत है याँ

1. चिनगारी की भाँति 2. प्राप्त 3. संसार 4. आकाश 5. ओस 6. मन्दिर 7. आशय 8. संसार 9. यद्यपि 10. क़त्ल 11. व्यर्थ 12. प्रसन्न 13. हाल 14. अस्त-व्यस्त।

❧ 9 ❧

आती है ख़ून की बू दोस्ती ए यार के बीच
जी लिये उन ने हज़ारों के यूँ ही प्यार के बीच

किसकी ख़ूबी[1] के तलबगार[2] हैं इज़्ज़ते तलबा[3]
ख़िर्क़ेम[4] बिकने को चले आते हैं बाज़ार के बीच

तौबा सद बार[5] कि मस्ती में पिरो डाले हैं
दाने तस्बीह[6] के मैं रिश्ता ए ज़ुन्नार[7] के बीच

आर्ज़ूमन्द[8] है ख़ुरशीद[9] मयस्सर[10] है कहाँ
कि तुनुक[11] ठहरे तेरे साया ए दीवार के बीच

मिल गया फूलों में इस रंग से करते हुए सैर
कि तअम्मुल[12] किसे पाया उस गुलज़ार[13] के बीच

1. अच्छाई 2. इच्छुक 3. प्रतिष्ठा के अभिलाषी 4. कपड़े 5. सौ बार 6. जपमाला 7. जनेऊ के धागे 8. इच्छुक 9. सूरज 10. उपलब्ध 11. थोड़ा-सा 12. झिझक 13. बाग़।

10

आराम हो चुका मेरे जिस्मे नज़ार[1] को
रक्खे ख़ुदा जहाँ में दिले बेक़रार को

पानी पे जैसे ग़ुँचा ए लाला[2] फिरे बहा
देखा मैं आँसुओं में दिले दाग़दार[3] को

हँसता ही मैं फिरूँ जो मेरा कुछ हो इख़्तियार[4]
पर क्या करूँ मैं दीदा ए बेइख़्तियार[5] को

किस-किसकी ख़ाक अब के मिलानी है ख़ाक में
जाती है फिर नसीम[6] उसी रहगुज़ार[7] को

ऐ वो कोई जो आज पिये है शराबे ऐश[8]
ख़ातिर[9] में रखिये कल के भी रंज ओ ख़ुमार[10] को

1. कमज़ोर शरीर 2. लाला की कली 3. दाग़ों से भरा हृदय 4. अधिकार 5. जिन आँखों पर अधिकार न हो 6. हवा 7. रास्ता 8. विलास की शराब 9. हृदय 10. दु:ख और नशा।

11

इधर से अब्र[1] उठकर जो गया है
हमारी ख़ाक पर भी रो गया है

मसाइब[2] और थे पर दिल का जाना
अजब इक सानिहा-सा[3] हो गया है

मुक़ामिर ख़ाना ए आफ़ाक़[4] वो है
कि जो आया है याँ कुछ खो गया है

सिरहाने 'मीर' के कोई न बोलो
अभी टुक रोते-रोते सो गया है

1. बादल 2. मुसीबतें 3. दुर्घटना 4. संसार का जुआघर।

12

इश्क़[1] में ऐ हमरिहाँ[2] कुछ तो किया चाहिए
गिरिया ओ शोरो फ़ुग़ाँ[3] कुछ तो किया चाहिए

हाथ रखे हाथ पर बैठे हो क्या बेख़बर[4]
चलने को है कारवाँ[5] कुछ तो किया चाहिए

क्या करूँ दिल ख़ूँ करूँ शे'र ही मौज़ूँ[6] करूँ
चलती है अब तक ज़ुबाँ कुछ तो किया चाहिए

ये तो दोस्ती नहीं हम से जो तुम को रही
पासे दिल[7] ऐ दोस्ताँ[8] कुछ तो किया चाहिए

'मीर' नहीं पीर[9] तुम काहिली अल्लाह रे
नामे ख़ुदा हो जवाँ कुछ तो किया चाहिए

---

1. प्यार 2. मित्रों 3. आँसू और चीख़-पुकार 4. निश्चिन्त 5. काफ़िला 6. प्रासंगिक 7. दिल का आदर 8. मित्रों 9. पहुँचा हुआ सन्त।

❧ 13 ☙

इश्क़ में जी को सब्र ओ ताब[1] कहाँ
उससे आँखें लगीं तो ख़्वाब[2] कहाँ

हस्ती[3] अपनी है बीच में परदा
हम न होवें तो फिर हिजाब[4] कहाँ

गिरिया ए शब[5] से सुर्ख़ हैं आँखें
मुझ बलानोश[6] को शराब कहाँ

इश्क़ है आशिकों के जलने को
ये जहन्नुम[7] में है अज़ाब[8] कहाँ

इश्क़ का घर है 'मीर' से आबाद
ऐसे फिर ख़ानमां ख़राब[9] कहाँ

---

1. धैर्य और साहस 2. स्वप्न 3. अस्तित्व 4. परदा 5. रात को रोना 6. बहुत पीने वाला 7. नरक 8. नारकीय पीड़ा 9. जिसका घर बरबाद हो चुका हो।

14

इश्क़ में ने ख़ौफ़ ओ ख़तर[1] चाहिए
जान देने को जिगर[2] चाहिए

क़ाबिले आग़ोशे सितम दीदगाँ[3]
अश्क-सा[4] पाकीज़ा[5] गुहर[6] चाहिए

कम है शनासा ए ज़र दाग़े दिल[7]
इसके परखने को नज़र चाहिए

शर्त सलीक़ा[8] है हर इक अम्र[9] में
ऐब[10] भी करने को हुनर[11] चाहिए

ख़ौफ़ क़यामत का यही है कि 'मीर'
हमको जिया बारे दिगर[12] चाहिए

---

1. भय 2. साहस 3. अन्याय सहने वालों की गोद के योग्य 4. आँसू 5. पवित्र 6. मोती 7. दिल के दाग़ की दौलत को परखने वाला 8. ढंग 9. काम 10. दुर्गुण 11. गुण 12. दूसरी बार।

15

उम्र-भर हम रहे शराबी से
दिले पुरख़ूँ[1] की इक गुलाबी[2] से

जी ढहा जाये है सहर से आह
रात गुज़रेगी किस ख़राबी से

खिलना कम-कम कली ने सीखा है
उसकी आँखों की नीमख़्वाबी[3] से

काम थे इश्क़ में बहुत पर 'मीर'
हम ही फ़ारिग़[4] हुए शिताबी[5] से

1. ख़ून से भरा हुआ दिल 2. शराब 3. अर्धनिद्रा की दशा 4. निवृत्त 5. जल्दी।

16

उलटी हो गयीं सब तदबीरें कुछ न दवा ने काम किया
देखा इस बीमारी-ए-दिल ने आख़िर काम तमाम किया

अह्दे जवानी[1] रो-रो काटा, पीरी[2] में लीं आँखें मूँद
यानी रात बहुत थे जागे, सुबह हुई आराम किया

नाहक़ हम मज्बूरों पर ये तुह्मत[3] है मुख़्तारी[4] की
चाहते हैं सो आप करे हैं, हमको अबस[5] बदनाम किया

किसका का'बा, कैसा क़िब्ला[6], कौन हरम[7] है, क्या ऐहराम[8]
कूचे के उसके बाशिन्दों ने सबको यहीं से सलाम किया

याँ के सुपैदो सियह में हमको दख़्ल[9] जो है, सो इतना है
रात को रो-रो सुब्ह किया या दिन को जों-तों शाम किया

'मीर' के दीनो मज़हब को अब पूछते क्या हो, उनने तो
क़श्क़ा[10] खेंचा, दैर[11] में बैठा, कब का तर्क[12] इस्लाम किया

---

1. जवानी का ज़माना, 2. बुढ़ापा 3. आरोप 4. स्वाधीनता 5. व्यर्थ 6. का'बा 7. मस्जिद 8. हज करते समय पहने जाने वाले विशेष वस्त्र 9. हस्तक्षेप 10. तिलक 11. मन्दिर 12. संबंध विच्छेद करना।

17

उसका ख़िराम[1] देख के जाया न जायेगा
ऐ कबक[2] फिर बहाल[3] भी जाया न जायेगा

हम कुश्तमाने इश्क़[4] हैं अबरू[5] ओ चश्मे यार[6]
सर से हमारे तेग़ का साया न जायेगा

हम रहरवाने राहे फ़ना[7] हैं बरंगे उम्र[8]
जावेंगे ऐसे खोज भी पाया न जायेगा

अब देख ले कि सीना भी ताज़ा हुआ है चाक[9]
फिर हमसे अपना हाल दिखाया न जायेगा

हम बेख़ुदाने महफ़िले तस्वीर[10] अब गये
आइन्दा[11] हमसे आप में आया न जायेगा

याद उसकी इतनी ख़ूब नहीं 'मीर' बाज़ आ[12]
नादान फिर वो जी से भुलाया न जायेगा

1. चाल 2. चकोर 3. पूर्ववत 4. प्रेम में मारे हुए 5. भवें 6. प्रिय के नेत्र 7. मृत्यु पथ के पथिक 8. आयु की भाँति 9. ज़ख़्मी 10. मूर्तियों की भाँति निश्चेष्ट 11. भविष्य में 12. सँभल जा।

18

उसके ईफ़ा ए अह्द[1] तक न जिये
उम्र ने हमसे बेवफ़ाई की

वस्ल[2] के दिन की आर्ज़ू[3] ही रही
शब[4] न आख़िर हुई जुदाई की

इसी तक़रीब[5] इस गली में रह
मिन्नतें[6] हैं शिकस्तापायी[7] की

कासा ए चश्म[8] ले के जूँ नर्गिस
हमने दीदार[9] की गदाई[10] की

ज़ोरो ज़र[11] कुछ न था तो बारे 'मीर'
किस भरोसे पर आश्नाई[12] की

1. वचन पूरा होने तक 2. मिलन 3. कामना 4. रात 5. उत्सव 6. एहसान 7. टूटे हुए पाँव 8. आँखरूपी प्याला 9. दर्शन 10. फ़क़ीरी 11. शक्ति और धन 12. मुहब्बत।

उसके कूचे से जो उठ अह्ले वफ़ा[1] जाते हैं
ता नज़र काम करे[2] रू ब क़फ़ा[3] जाते हैं

मुत्तसिल[4] रोते ही रहिये, तो बुझे आतिशे दिल[5]
एक-दो आँसू तो और आग लगा जाते हैं

वक्त ख़ुश[6] उनका जो हमबज़्म[7] हैं तेरे, हम तो
दर ओ दीवार[8] को अह्वाल[9] सुना जाते हैं

एक बीमारे जुदाई[10] हूँ, मैं आप ही तिस पर
पूछने वाले जुदा[11] जान को खा जाते हैं

1. वफ़ादार 2. जहाँ तक दृष्टि जाये 3. पीछे मुड़कर देखते हुए 4. निरन्तर 5. हृदयाग्नि 6. अच्छा समय 7. साथ में 8. दरवाज़ा और दीवार 9. हालत 10. विरह रोगी 11. अलग।

20

ऐ दोस्त कोई मुझ-सा रुस्वा[1] न हुआ होगा
दुश्मन के भी दुश्मन पर ऐसा न हुआ होगा

इस कुह्ना ख़राबे[2] में आबादी न कर मुन्इम[3]
यक शहर नहीं याँ जो सहरा[4] न हुआ होगा

आँखों से तेरी हमको है चश्म[5] कि अब होवे
जो फ़ित्ना[6] कि दुनिया में बरपा[7] न हुआ होगा

जुज़[8] मर्तबा ए कुल[9] को हासिल करे है आख़िर
यक क़तरा न देखा जो दरिया न हुआ होगा

1. बदनाम 2. पुराना खण्डहर 3. धनवान 4. जंगल 5. आशा 6. उपद्रव 7. उत्पन्न 8. टुकड़ा 9. पूर्णता का स्थान।

❧ 21 ❧

ऐ नुकीले ये थी कहाँ की अदा
खब गयी जी में तेरी बाँकी अदा

जादू करते हैं इक निगाह के बीच
हाय रे चश्मे दिलबराँ[1] की अदा

बात कहने में गालियाँ दे है
सुनते हो मेरे बदज़ुबाँ[2] की अदा

ख़ाक में मिल के 'मीर' हम समझे
बेअदाई[3] थी आसमाँ की अदा

1. माशूक की आँखें 2. कटुभाषी 3. उपेक्षा।

❦ 22 ❦

ऐ बू ए गुल[1] समझ के महकियो पवन के बीच
ज़ख़्मी पड़े हैं मुर्ग़[2] हज़ारों चमन के बीच

सुथराई और नाज़ुकी[3] गुलबर्ग[4] की दुरुस्त[5]
पर वैसी बू[6] कहाँ कि जो है उस बदन के बीच

या साथ ग़ैर के है तुम्हें वैसी बातचीत
सौ-सौ तरह के लुत्फ़[7] है इक-इक सुख़न[8] के बीच

या पास मेरे लगती है चुप ऐसी आन कर
गोया ज़ुबाँ नहीं है तुम्हारे दहन[9] के बीच

फरहाद ओ क़ैस[10] ओ 'मीर' ये आवारगाने इश्क़
यूँ ही गये हैं, सबकी रही मन की मन के बीच

1. फूल की सुगंध 2. पक्षी 3. कोमलता 4. फूल की पत्ती 5. ठीक 6. गंध 7. बोल 8. मुँह 9. मजनूँ 10. आवारा प्रेमी।

❧ 23 ☙

ऐ हुब्बे जाह[1] वालों जो आज ताजवर[2] है
कल उसको देखियो तुम नै ताज है न सर है

अब की हवा ए गुल में सेराबी[3] है निहायत[4]
जूए चमन[5] पे सब्ज़ा मिज़शगाने चश्मे तर[6] है

शम्ए अख़ीरे शब[7] हूँ सुन सरगुज़श्त[8] मेरी
फिर सुब्ह होते तक तो क़िस्सा ही मुख़्तसर[9] है

अब फिर हमारा-उसका महशर[10] में माजरा[11] है
देखें तो उस जगह क्या इंसाफ़े दादगर[12] है

आफ़त रसीदा[13] हम क्या सर खेंचें[14] इस चमन में
जूँ नख़्ले ख़ुश्क[15] हमको नै साया नै समर[16] है

1. प्रतिष्ठा के लोभी 2. मुकुटधारी 3. तृप्ति 4. बहुत 5. बाग़ में बहने वाला पानी 6. भीगी हुई आँखों की पलकें 7. अन्तिम रात का दीपक 8. कहानी 9. संक्षिप्त 10. प्रलय 11. घटना 12. न्यायकर्ता का न्याय 13. मुसीबत में 14. सर उठाना 15. सूखे हुए वृक्ष की भाँति 16. फल।

24

क़द्र[1] रखती न थी मता ए दिल[2]
सारे आलम[3] में मैं दिखा लाया

दिल कि यकक़तरा[4] ख़ूँ नहीं है बेश[5]
एक आलम के सर बला[6] लाया

दिल मुझे उस गली में ले जाकर
और भी ख़ाक में मिला लाया

इब्तिदा[7] ही में मर गये सब यार
इश्क़ की कौन इन्तिहा[8] लाया

अब तो जाते हैं बुतक़दे से 'मीर'
फिर मिलेंगे अगर ख़ुदा लाया

1. मूल्य 2. दिल की दौलत 3. संसार 4. बूँद-भर 5. अधिक 6. मुसीबत 7. आरम्भ 8. अंजाम।

25

क्या मुसीबतज़दा[1] दिल माइले आज़ार[2] न था
कौन से दर्दो सितम का ये तरफ़दार न था

आदमे ख़ाक़ी[3] से आलम को जिला[4] है वरना
आईना था ये वले[5] क़ाबिले दीदार[6] न था

धूप में जलती हैं ग़ुर्बत वतनों[7] की लाशें
तेरे कूचे में मगर साया ए दीवार[8] न था

रात हैरान हूँ कुछ चुप ही मुझे लग गयी 'मीर'
दर्द पिन्हाँ[9] थे बहुत, पर लबे इज़्हार[10] न था

1. पीड़ित 2. दुखी से प्रेम करने वाला 3. मिट्टी का पुतला, इंसान 4. चमक 5. लेकिन 6. देखने योग्य 7. परदेसियों 8. दीवार की छाया 9. छिपी हुई पीड़ा 10. कहने की शक्ति।

26

करते हैं गुफ़्तगू[1] सहर[2] उठकर सबा[3] से हम
लड़ने लगे हैं हिज्र[4] में उसके हवा से हम

होता न दिल का ता[5] ये सरअंजाम[6] इश्क़ में
लगते ही जी के मर गये होते बला से हम

दाग़ों ही से भरी रहे छाती तमाम उम्र
ये फूल-गुल चुना किये बाग़े वफ़ा से हम

ग़ाफ़िल[7] न अपनी दीदादराई[8] से हमको जान
सब देखते हैं पर नहीं कहते हया[9] से हम

1. बातें 2. सुबह 3. हवा 4. विरह 5. तक 6. नतीजा 7. असावधान 8. निर्लज्जता 9. शर्म।

☙ 27 ❧

कल चमन में गुल ओ समन[1] देखा
आज देखा तो बाग़ बन देखा

क्या है गुलशन[2] में जो क़फ़स[3] में नहीं
आशिकों का जिला वतन देखा

घर के घर जलते थे पड़े तेरे
दाग़े दिल देखे सो चमन देखा

एक चश्मक[4] दोसद[5] सिनाने मिज़्ा[6]
उस नुकीले का बाँकपन देखा

हसरत[7] उसकी जगह थी ख़्वाबीदा[8]
'मीर' का खोलकर कफ़न देखा

1. गुलाब और चमेली 2. उपवन 3. पिंजरा 4. इशारा 5. सैकड़ों 6. पलकों की बर्छियाँ 7. निराशा 8. सोई हुई।

28

क़सद[1] गर इम्तिहान है प्यारे
अब तलक नीम जान[2] है प्यारे

सज्दा[3] करने में सर कटे है जहाँ
सो तेरा आस्तान[4] है प्यारे

गुफ़्तगू[5] रेख़्ते[6] में हमसे न कर
ये हमारी ज़ुबान है प्यारे

छोड़ जाते हैं दिल को तेरे पास
ये हमारा निशान है प्यारे

'मीर' अमदन[7] भी कोई मरता है
जान है तो जहान है प्यारे

1. इरादा 2. अर्धजीवित 3. माथा टेकना 4. चौखट 5. बातचीत 6. उर्दू 7. जान-बूझकर।

❧ 29 ❧

कहियो क़ासिद[1] जो वो पूछें हमें क्या करते हैं
जान ओ ईमान ओ मुहब्बत को दुआ करते हैं

इश्क़ आतिश[2] भी जो देवे तो न दम मारें[3] हम
शम्ए तस्वीर[4] हैं ख़ामोश[5] जला करते हैं

रुख़्सते जुम्बिशे लब[6] इश्क़ की हैरत[7] से नहीं
मुद्दतें गुज़रीं कि हम चुप ही रहा करते हैं

तू परी शीशे से नाज़ुक[8] है, न कर दावा ए मेह्र[9]
दिल हैं पत्थर के उन्हों के जो वफ़ा[10] करते हैं

फ़ुर्सते ख़्वाब[11] नहीं ज़िक्रे बुताँ[12] में हमको
रात-दिन राम-कहानी-सी कहा करते हैं

ये ज़माना नहीं ऐसा कि कोई ज़ीस्त करे[13]
चाहते हैं जो बुरा अपना भला करते हैं

---

1. सन्देशवाहक 2. आग 3. कुछ कहें 4. शमा की तस्वीर 5. चुपचाप 6. होंठ हिलाने की आज्ञा 7. आश्चर्य 8. कोमल 9. मुहब्बत का दावा 10. निर्वाह 11. सोने का अवकाश 12. प्रेमिका की चर्चा 13. ज़िन्दा रहें।

30

कहूँ सो क्या कहूँ ने सब्र ने क़रार है आज
जो इस चमन में ये इक तुर्फ़ा[1] इन्तिशार[2] है आज

सर अपना इश्क़ में हमने भी यूँ तो फोड़ा था
पर इसको क्या करें औरों का एतबार है आज

सहर[3] सवाद[4] में चल ज़ोर फूली है सरसों
हुआ है इश्क़ से कुल ज़र्द क्या बहार है आज

सवारी उसकी है सरगर्मे गश्ते दश्त[5] मगर
कि ख़ीरा-तीरा[6] नुमुदार[7] यक ग़ुबार[8] है आज

1. अजीब 2. बेचैनी 3. सुबह 4. मैदान 5. जंगल के चक्कर काटने में मगन 6. भयंकर 7. प्रकट 8. धूल।

का'बे में जाँ ब लब[1] थे हम दूरि ए बुताँ[2] से
आये हैं फिर के यारो अब के ख़ुदा के हाँ से

तस्वीर के-से ताइर[3] ख़ामोश रहते हैं हम
जी कुछ उचट गया है अब नाला ओ फ़ुग़ाँ[4] से

जब कौंदती है बिजली तब जानिबे गुलिस्ताँ[5]
रखती है छेड़ मेरे ख़ाशाके आशियाँ[6] से

क्या ख़ूबी[7] उसके मुँह की ऐ ग़ुंचा[8] नक़्ल करिये
तू तो न बोल ज़ालिम बू आती है दहाँ[9] से

आँखों ही में रहे हो दिल से नहीं गये हो
हैरान[10] हूँ ये शोख़ी[11] आयी तुम्हें कहाँ से

इतनी भी बदमिज़ाजी[12] हर लहजा[13] 'मीर' तुमको
उलझाव है ज़मीं[14] से झगड़ा है आसमाँ[15] से

1. मरणासन्न 2. प्रेमिकाओं से दूरी 3. पक्षी 4. आर्त्तनाद 5. उपवन की ओर 6. घोंसले के तिनके 7. अच्छाई 8. कली 9. मुँह 10. अचम्भे में डूबा हुआ 11. चंचलता 12. चिड़चिड़ापन 13. प्रतिपल 14. धरती 15. आकाश।

32

कुछ करो फ़िक्र मुझ दीवाने की
धूम है फिर बहार आने की

वो जो फिरता है मुझसे दूर ही दूर
है ये तक़रीब[1] जी के जाने की

तेज़ यूँ ही न थी शब[2] आतिशे शौक़[3]
थी ख़बर गर्म उसके आने की

जो है सो पाएमाले ग़म[4] है 'मीर'
चाल बेडौल है ज़माने की

1. कारण 2. रात 3. अभिलाषा की आग 4. दुःखों का मारा हुआ।

33

कैसा चमन कि हम से असीरों[1] को मना है
चाके क़फ़स[2] से बाग़ की दीवार देखना

आँखें चुराइयो न टुक अब्रे बहार[3] से
मेरी तरफ़ भी दीद ए ख़ूबार[4] देखना

सैयाद[5] दिल है दाग़े जुदाई[6] से रश्के बाग़[7]
तुझको भी हो नसीब ये गुलज़ार देखना

गर ज़मज़मा[8] यही है कोई दिन तो हमसफ़ीर[9]
इस फ़स्ल ही में हमको गिरिफ़्तार देखना

शायद हमारी ख़ाक से कुछ हो भी ऐ नसीम[10]
ग़िर्बाल[11] करके कूचा ए दिलदार[12] देखना

---

1. बन्दीजनों 2. पिंजरे की तीलियों के बीच की जगह 3. वसन्त ऋतु का बादल 4. रक्त बहाने वाली आँखें 5. शिकारी 6. विरह का दाग़ 7. बाग़ से भी सुन्दर 8. राग 9. मित्र 10. ठण्डी हवा 11. छलनी 12. प्रेमिका की गली।

34

कोफ़्त[1] से जान लब[2] पे आयी है
हमने क्या चोट दिल पे खायी है

दीदनी[3] है शिकस्तगी[4] दिल की
क्या इमारत ग़मों ने ढायी है

बेसुतूँ[5] क्या है कोहकन[6] कैसा
इश्क़ की ज़ोर आज़्माई है

मर्गे मजनूँ[7] से अक़्ल गुम है 'मीर'
क्या दिवाने ने मौत पायी है

1. दु:ख 2. होंठ 3. देखने योग्य 4. टूटापन 5. एक पर्वत, जिस पर फ़रहाद नहर काटने के लिए चढ़ा था 6. फ़रहाद 7. मजनूँ की मौत।

35

कारे दिल[1] उस महे तमाम[2] से है
काहिश[3] इक रोज़ मुझको शाम से है

तुम नहीं फ़ित्नासाज़[4] सच साहिब
शह्‌र पुरशोर[5] इस गुलाम से है

कोई तुझ-सा भी काश तुझको मिले
मुद्दआ[6] हमको इन्तिक़ाम[7] से है

शे'र मेरे हैं सब ख़्वासपसन्द[8]
पर मुझे गुफ़्तगू[9] अवाम[10] से है

सहल[11] है 'मीर' का समझना क्या
हर सुख़न[12] उसका इक मक़ाम से है

1. दिल का काम 2. पूरा चाँद 3. कष्ट 4. उपद्रवी 5. शोर से भरा हुआ 6. उद्देश्य 7. बदला 8. ख़ास लोगों की पसन्द 9. बातचीत 10. जन-साधारण 11. आसान 12. बोल।

36

क्या मैं भी परेशानी ए ख़ातिर[1] से क़रीं[2] था
आँखें तो कहीं थीं दिले ग़मदीदा[3] कहीं था

किस रात नज़र की है सू ए चश्मके अंजुम[4]
आँखों के तले अपने तो वो माहजबीं[5] था

आया तो सही वो कोई दम के लिए लेकिन
होंठों पे मेरे जब नफ़से बाज़पसीं[6] था

नाम आज कोई याँ नहीं लेता है उन्हों का
जिन लोगों के कल मुल्क ये सब ज़ेरे नगीं[7] था

मस्जिद में इमाम[8] आज हुआ आ के वहाँ से
कल तक तो यही 'मीर' ख़राबातनशीं[9] था

1. दिल की परेशानी 2. निकट 3. दुखी हृदय 4. तारों की चमक की प्रतिद्वन्द्विता 5. चन्द्रमुखी 6. अन्तिम साँस 7. अधीन 8. नमाज़ पढ़ाने वाला 9. मदिरालय में बैठने वाला।

क्या कहिये कली-सा वो दहन[1] है
इसमें भी जो सोचिये सुख़न[2] है

वाबस्तगी[3] मुझसे शीशा ए जाँ[4] की
उस संग[5] से है कि दिलशिकन[6] है

क्या सहल गुज़रती है ज़ुनूँ[7] से
तोहफ़ा[8] हम लोगों का चलन है

वे बन्दे क़बा[9] खुले थे शायद
सद चाक[10] गुलों का पैरहन है

गह[11] दैर[12] में है गहे हरम[13] में
अपना तो यही दीवानापन है

हम कुश्त ए इश्क़[14] हैं हमारा
मैदान की ख़ाक ही कफ़न है

कर 'मीर' के हाल पे तरह्हुम[15]
वो शहर ग़रीबो बेवतन[16] है

1. मुँह 2. बोल 3. संबंध 4. शीशे-जैसे प्राण वाला 5. पत्थर 6. दिल तोड़ने वाला 7. पागलपन 8. भेंट 9. कपड़े के बंद 10. सौ टुकड़े 11. कभी 12. मन्दिर 13. मस्जिद 14. प्यार में मारा हुआ 15. दया 16. जिसका कोई देश या शहर न हो।

38

क्या कहूँ तुमसे मैं कि क्या है इश्क़
जान का रोग है बला है इश्क़

इश्क़ ही इश्क़ है जहाँ देखो
सारे आलम[1] में भर रहा है इश्क़

इश्क़ है तर्ज़ो तौर[2] इश्क़ के तईं
कहीं बन्दा, कहीं ख़ुदा है इश्क़

इश्क़ माशूक़, इश्क़ आशिक़ है
यानी अपना ही मुब्तिला[3] है इश्क़

दिलकश[4] ऐसा कहाँ है दुश्मने जाँ[5]
मुद्दई[6] है, प मुद्दआ[7] है इश्क़

कौन मक़्सद को इश्क़ बिन पहुँचा
आरज़ू[8] इश्क़, मुद्दआ है इश्क़

1. संसार 2. रंग-ढंग 3. ग्रस्त 4. मनमोहक 5. जान का शत्रु 6. प्रतिवादी 7. उद्देश्य 8. कामना।

❧ 39 ❧

क्या कहे हाल कहीं दिलज़दा[1] जाकर अपना
दिल न अपना है मुहब्बत में न दिलबर[2] अपना

यक घड़ी साफ़ नहीं हमसे हुआ यार कभू
दिल भी जूँ शीशा ए साअत[3] है मुकदर[4] अपना

उस गुले तर[5] की क़बा[6] के कहीं खोले थे बन्द
रंगो गुलबर्ग[7] के नाख़ुन है मुअत्तर[8] अपना

पेश कुछ आओ[9] यहीं हम तो हैं हर सूरत से
मिले आईना[10] नहीं छोड़ते हम घर अपना

दिल बहुत खींचती है यार के कूचे की ज़मीं
लोहू उस ख़ाक पे गिरना है मुक़र्रर[11] अपना

---

1. टूटे हृदय वाला 2. प्रेयसी 3. समय नापने का पैमाना 4. मलिन 5. ताज़ा फूल 6. पंखुड़ी 7. फूल की पत्ती की भाँति 8. सुगन्धित 9. कुछ आगे आओ 10. दर्पण की भाँति 11. निश्चित।

❧ 40 ❧

ख़ुदा करे मेरे दिल को टुक इक क़रार[1] आवे
कि ज़िन्दगी तो करूँ जब तलक कि यार आवे

कमानें उसकी भवों की चढ़ी ही रहती हैं
न जब तलक सरे तीरे सितम[2] शिकार आवे

हमें तो एक घड़ी गुल बग़ैर दूभर है
ख़ुदा ही जाने कि अब कब तलक बहार आवे

तुम्हारे जौरों[3] से अब हाल जा ए इबरत[4] है
किसू से कहिये तो उसको न एतबार[5] आवे

नहीं है चाह भली इतनी भी दुआ कर 'मीर'
कि अब जो देखूँ उसे मैं बहुत न प्यार आवे

1. चैन 2. अन्याय के तीर के निशाने पर 3. अत्याचार 4. विद्यालय 5. विश्वास।

41

गये जी से छूटे बुतों की जफ़ा से
यही बात हम चाहते थे ख़ुदा से

वो अपनी ही ख़ूबी[1] पे रहता है नाज़ाँ[2]
मरो या जियो कोई उसकी बला से

पशेमान[3] तौबा से होगा अदम[4] में
कि गाफ़िल[5] चला शैख़ लुत्फ़े हवा[6] से

न रक्खी मेरी ख़ाक भी उस गली में
कुदूरत[7] मुझे है निहायत[8] सबा[9] से

जिगर सू ए मिझगाँ[10] खिंचा जाये है कुछ
मगर दीदा ए तर[11] हैं लोहू के प्यासे

न शिकवा-शिकायत न हर्फ़ों-हिकायत[12]
कहो 'मीर' जी आज क्यों हो ख़फ़ा से

---

1. अच्छाई 2. घमण्डी 3. लज्ज़ित 4. परलोक 5. बेख़बर 6. हवा का आनन्द 7. दिल का मैल 8. बहुत 9. हवा 10. पलकों की ओर 11. भीगे हुए नेत्र 12. बातचीत।

42

गये जूँ शम्अ[1] उस मजलिस[2] में जितने
सबों पर हाल है रौशन[3] हमारा

बहुत चाहा था अब्रे तर[4] ने लेकिन
न मिन्नतकश[5] हुआ गुलशन हमारा

चमन में हम भी ज़ंजीरी[6] रहे हैं
सुना होगा कभू शेवन[7] हमारा

किया था रेख़्ता[8] परदा सुख़न[9] का
सो ठहरा है यही अब फ़न[10] हमारा

न बहके मैकदे[11] में 'मीर' क्योंकर
गिरव[12] सौ जा[13] है पैराहन[14] हमारा

---

1. चिराग़ की भाँति 2. सभा 3. आलोकित 4. पानी से भरा हुआ बादल 5. आभारी 6. बन्दी 7. आर्त्तनाद, 8. छन्दोबद्ध 9. बातचीत 10. कला 11. मदिरालय 12. गिरवी 13. सौ जगह 14. कपड़े।

43

गुल को महबूब[1] हम क़यास[2] किया
फ़र्क़[3] निकला बहुत जो बास[4] किया

दिल ने हमको मिसाले आईना[5]
एक आलम[6] का रुशनास[7] किया

कुछ नहीं सूझता हमें उस बिन
शौक़[8] ने हमको बेहवास[9] किया

सुब्ह तक शम्आ सर को धुनती रही
क्या पतंगे न इल्तिमास[10] किया

ऐसे वहशी[11] कहाँ हैं ऐ ख़ूबाँ[12]
'मीर' को तुम अबस[13] उदास किया

1. प्रिय 2. कल्पना 3. अन्तर 4. सूँघना 5. दर्पण की भाँति 6. संसार 7. परिचित 8. अभिलाषा 9. बेसुध 10. विनय 11. घबराया हुआ 12. माशूक़ 13. व्यर्थ।

44

चमन में गुल ने जो कल दावा ए जमाल[1] किया
जमाले यार[2] ने मुँह उसका ख़ूब लाल किया

फ़लक[3] ने आह तेरी रह में हमको पैदा कर
बरंगे सब्ज़ नव रुस्ता[4] पाएमाल[5] किया

बहारे रफ़्ता[6] फिर आयी तेरे तमाशे को
चमन को युम्ने क़दम[7] ने तेरे निहाल किया

लगा न दिल को कहीं क्या सुना नहीं तूने
जो कुछ कि 'मीर' का इन आशिक़ों ने हाल किया

1. सौन्दर्य का दावा 2. माशूक़ का सौन्दर्य 3. आकाश 4. नयी उगी हुई दूब की भाँति 5. पैरों से कुचलना 6. गयी हुई बहार 7. क़दमों का शुभ होना।

ೞ 45 ೠ

चमन यार तेरा हवाख़्वाह[1] है
गुल[2] इक दिल है जिसमें तेरी चाह है

सरापा[3] में उसके नज़र करके तुम
जहाँ देखो अल्लाह अल्लाह है

तेरी आह किससे ख़बर पाइये
वही बेख़बर है जो आगाह[4] है

चराग़ाने गुल[5] से है क्या रौशनी
गुलिस्ताँ[6] किसू की क़दमगाह[7] है

ये वो कारवाँ गाहे दिलकश[8] है 'मीर'
कि फिर याँ से हसरत[9] ही हमराह[10] है

1. शुभचिन्तक 2. फूल 3. सर से पैरों तक 4. परिचित 5. फूलों के चिराग़ 6. बाग़ 7. क़दम रखने की जगह 8. कारवाँ ठहरने का सुन्दर स्थान 9. ख़्वाहिश 10. संगी-साथी।

चलते हो, तो चमन को चलिये, कहते हैं कि बहाराँ है
पात हरे हैं, फूल खिले हैं, कम-कम बादो बाराँ[1] है

रंग हवा से यूँ टपके है, जैसे शराब चुआते हैं
आगे हो मैख़ाने के निकलो अह्दे बादा गुसाराँ[2] है

कोहकन[3] ओ मजनूँ की ख़ातिर दश्त ओ कोह[4] में हम न गये
इश्क़ में हमको 'मीर' निहायत पासे इज़्ज़तदाराँ[5] है

1. हवा और वर्षा 2. शराब पीने वालों का ज़माना 3. फ़रहाद 4. जंगल और पहाड़
5. प्रतिष्ठित लोगों का मान।

47

ज़ख़्मों पे ज़ख़्म झेले दाग़ों पे दाग़ खाये
यक क़तरा[1] ख़ूने दिल[2] ने क्या-क्या सितम[3] उठाये

बढ़ती नहीं पलक से ता हम तलक भी पहुँचे
फिरती हैं वो निगाहें पलकों के साये-साये

पर की बहार में जो महबूब जल्वागर[4] थे
सो गर्दिशे फ़लक[5] ने सब ख़ाक में मिलाये

हर क़त्अ ए चमन[6] पर टुक गाड़कर नज़र कर
बिगड़ी हज़ार शक्लें तब फूल ये बनाये

आगे भी तुझसे था याँ तस्वीर का-सा आलम[7]
बेदर्दि ए फ़लक[8] ने वो नक़्श[9] सब मिटाये

---

1. एक बूँद 2. दिल के रक्त से 3. अत्याचार 4. प्रत्यक्ष 5. आकाश का चक्कर 6. बाग़ का हिस्सा 7. हालत 8. आकाश की निर्दयता 9. निशान।

48

जब जुनूँ[1] से हमें तवस्सुल[2] था
अपनी ज़ंजीरे पा[3] ही का गुल[4] था

बिस्तरा था चमन में जूँ बुलबुल
नाला[5] सरमायए तवक्कुल[6] था

यक निगह[7] को वफ़ा न की गोया
मौसमे गुल[8] सफ़ीरे बुलबुल[9] था

उनने पहचानकर हमें मारा
मुँह न करना इधर तजाहुल[10] था

शह्र में जो नज़र पड़ा उसका
कुश्त ए नाज़[11] या तग़ाफ़ुल[12] था

अब तो दिल को न ताब है न क़रार
यादे अय्याम[13] जब तहम्मुल[14] था

ख़ूब दर्याफ़्त जो किया हमने
वक़्ते ख़ुश[15] 'मीर' नक़्हते गुल[16] था

1. पागलपन 2. सहारा 3. पाँव की ज़ंजीर 4. शोर 5. आर्त्तनाद 6. निस्पृहता का धन 7. क्षण-भर को 8. बसन्त ऋतु 9. बुलबुल की आवाज़ 10. जानकर अनजान बनना 11. सौन्दर्य के अभिमान से ग्रस्त 12. उपेक्षा 13. विगत की स्मृति 14. सहनशीलता 15. अच्छा समय 16. फूलों की सुगन्ध।

❧ 49 ❧

जब नाम तेरा लीजिये तब चश्म[1] भर आवे
इस ज़िन्दगी करने को कहाँ से जिगर[2] आवे

मैख़ाना[3] वो मंज़र[4] है कि हर सुब्ह जहाँ शैख़
दीवार पे ख़ुरशीद[5] का मस्ती से सर आवे

क्या जानें वो मुर्ग़ाने गिरिफ़्तारे[6] चमन को
जिन तक कि बसद नाज़[7] नसीमे सहर[8] आवे

सन्नअ[9] हैं सब ख़्वार[10] अज़आँ जुम्ला[11] हूँ मैं भी
है ऐब[12] बड़ा उसमें जिसे कुछ हुनर[13] आवे

1. आँखें 2. साहस 3. मदिरालय 4. दृश्य 5. सूर्य 6. बन्दी पक्षी 7. सैकड़ों नख़रों के साथ 8. सुबह की हवा 9. कारीगर 10. अपमानित 11. उनमें से एक 12. दुर्गुण 13. कला।

50

जब लग गये झमकने रुख़सारे यार[1] दोनों
तब मेहर ओ मह[2] ने अपनी आँखें छिपा लियाँ हैं

सुबहे चमन[3] का जल्वा[4] हिन्दी बुतों में देखा
सन्दल-भरी जबीं[5] है, होंठों की लालियाँ हैं

इन गुलरुख़ों[6] की क़ामत[7] लहके है यूँ हवा में
जिस रंग से लचकती फूलों की डालियाँ हैं

वो दुज़्दे दिल[8] नहीं, तो क्यों देखते ही मुझको
पलकें झुका लियाँ हैं, आँखें चुरा लियाँ हैं

चलते हैं ये तो ठोकर लगती है 'मीर' दिल को
चालें ही दिलबरों[9] की सबसे निरालियाँ हैं

---

1. प्रेमिका के गाल 2. सूरज और चाँद 3. बाग़ का सवेरा 4. दर्शन 5. माथा 6. फूल-जैसे चेहरों वाली 7. आकार 8. दिल के चोर 9. प्रेमिका।

51

जाये है जी निजात[1] के ग़म में
ऐसी जन्नत[2] गयी जहन्नुम[3] में

है बहुत जैब चाकी[4] ही जूँ सुब्ह
क्या किया जाये फ़ुर्सते कम[5] में

पर के थी बेकली क़फ़स[6] में बहुत
देखिये अब के गुल के मौसम में

बेख़ुदी[7] पर न 'मीर' की जाओ
तुमने देखा है और आलम[8] में

1. मुक्ति 2. स्वर्ग 3. नरक 4. गरेबाँ का फटना 5. कम अवकाश 6. पिंजरा 7. आत्मलीन होना 8. हालत।

52

जिस सर को गुरूर आज है याँ ताजवरी[1] का
कल उस पे यहीं शोर है फिर नौहागरी[2] का

आफ़ाक़[3] की मंज़िल से गया कौन सलामत
असबाब लुटा राह में याँ हर सफ़री[4] का

जिन्दाँ[5] में भी शोरिश[6] न गयी अपने जुनूँ[7] की
अब संग[8] मुदावा[9] है इस आशुफ़्तासरी[10] का

हर ज़ख़्मे जिगर दावरे महशर[11] से हमारा
इंसाफ़ तलब है तेरी बेदादगरी[12] का

अपनी तो जहाँ आँख लड़ी, फिर वहीं देखो
आईने को लपका है परीशाँ नज़री[13] का

ले साँस भी अहिस्ता कि नाज़ुक है बहुत काम
आफ़ाक की इस कारगहे शीशागरी[14] का

टुक मीर जिगर सोख़्ता[15] की जल्द ख़बर ले
क्या यार भरोसा है चिराग़े सहरी[16] का

1. बादशाहत 2. मातम करना 3. संसार 4. यात्री 5. बन्दीगृह 6. अशान्ति 7. उन्माद 8. पत्थर 9. उपचार 10. बदहवासी 11. क़यामत के दिन न्याय करने वाला 12. ज़ुल्म 13. दृष्टि की अस्थिरता 14. शीशे का कारख़ाना 15. जिगर का जला हुआ 16. प्रातःकाल का दीपक।

53

जो-जो ज़ुल्म[1] किये हैं तुमने, सो-सो हमने खाये हैं
दाग़ जिगर पे जलाये हैं, छाती पे जराहत[2] खाये हैं

ख़ुम से लगी मैख़ाने[3] के दीवार भी अपने घर की है
लुत्फ़े पीरे मुग़ां[4] से अजब क्या, हम आख़िर हमसाये हैं

शौक़ है, ग़म में बेसब्री[5] है, आह किसू को क्या कहिये
अच्छा, अपने जी को हमने आप ही रोग[6] लगाये हैं

महवे सुख़न हम फ़िक्रे सुख़न[7] में रफ़्ता ही बैठे रहते हैं
आपको जब खोया है हमने, तब ये गौहर[8] पाये हैं

तब थे सिपाही, अब हैं जोगी,[9] आह जवानी यूँ काटी
ऐसी थोड़ी रात में हमने क्या-क्या स्वाग[10] बनाये हैं

'मीर' मुक़द्दस[11] आदमी है, थे सुब्ह बकफ़ मैख़ाने में
सुब्ह जो हम भी जा निकले, तो देख के क्या शर्माये हैं

1. अन्याय 2. घाव 3. मदिरालय 4. मदिरालय के वृद्ध का आनन्द 5. व्याकुलता 6. बीमारी 7. बोलने की चिन्ता 8. मोती 9. सन्त 10. रूप 11. पवित्र।

54

जो देखो मेरे शे'रे तर[1] की तरफ़
तो माइल[2] न हो फिर गुहर[3] की तरफ़

कोई दादे दिल[4] आह किससे करे
हर इक है सो उस फ़ित्नागर[5] की तरफ़

मुहब्बत ने शायद कि दी दिल को आग
धुआँ-सा है कुछ उस नगर की तरफ़

बहुत रंग मिलता है देखो कभू
हमारी तरफ़ से सहर[6] की तरफ़

1. नया शे'र 2. आकर्षित 3. मोती 4. दिल का न्याय 5. उपद्रवी 6. सुबह।

ೞ 55 ೞ

जो देखो वो क़ामत[1] तो मालूम हो
कि रुकश[2] हुए हैं क़यामत[3] से हम

ख़ुदा से भी शब[4] को दुआ माँगते
न उसका लिया नाम ग़ैरत[5] से हम

रखा जिसको आँखों में इक उम्र, अब
उसे देख रहते हैं हसरत[6] से हम

न मिल 'मीर' अब के अमीरों से तू
हुए हैं फ़क़ीर उनकी दौलत से हम

1. क़द 2. सामने 3. प्रलय 4. रात 5. आत्मसम्मान 6. निराशा।

56

जोर[1] क्या-क्या, जफ़ाएँ क्या-क्या हैं
आशिक़ी में बलाएँ[2] क्या-क्या हैं

गह[3] नसीमे सबा[4] है गाह सुमूम[5]
इस चमन में हवाएँ क्या-क्या हैं

फ़िक्र तामीरे दिल[6] किसू को नहीं
ऐसी-वैसी बिनाएँ[7] क्या-क्या हैं

शोर है तर्के शैख़[8] का लेकिन
चुपके-चुपके दुआएँ क्या-क्या हैं

मंज़रे दीदा[9] क़सरे-दिल[10] ऐ 'मीर'
शह्‌रे तन में भी जाएँ[11] क्या-क्या हैं

1. अत्याचार 2. मुसीबतें 3. कभी 4. प्रातः समीर 5. गरम हवा 6. दिल के निर्माण की चिन्ता 7. निर्माण 8. शैख़ का त्याग 9. आँखों का दृश्य 10. दिल का महल 11. जगहें।

❧ 57 ❧

ता[1] गौर[2] के ऊपर वो गुलअन्दाम[3] न आया
हम ख़ाक के आसूदों[4] को आराम न आया

बेहोशे मए इश्क़[5] हूँ क्या मेरा भरोसा
आया जो बख़ुद[6] सुब्ह तो मैं शाम न आया

किस दिल से तेरा तीरे निगह[7] पार न गुजरा
किस जान को ये मर्ग[8] का पैग़ाम[9] न आया

देखा न उसे दूर से भी मुन्तज़िरों[10] ने
वो रश्के महे ईद[11] लबे बाम[12] न आया

अब के जो तेरे कूचे[13] से जाऊँगा तो सुनियो
फिर जीते जी इस राह वो बदनाम न आया

ने ख़ून हो आँखों से बहा टुक न हुआ दाग़
अपना तो ये दिल 'मीर' किसू काम न आया

---

1. जब तक 2. क़ब्र 3. फूल-जैसे शरीर वाला 4. ख़ाक में संतुष्ट होकर सोने वाले 5. प्रेम की मदिरा पीकर मस्त होने वाले 6. अपने होश में 7. नज़र का तीर 8. मौत 9. सन्देश 10. प्रतीक्षा करने वाला 11. ईद के चाँद को भी मात देने वाला 12. छत पर 13. गली।

58

तुम्हें भी चाहिए है कुछ तो पास[1] चाहत का
हम अपनी ओर से यूँ कब तलक निबाह[2] करें

रखा है अपने तईं रोक-रोककर वरना
सियाह कर दें ज़माने को हम जो आह करें

अगर उठेंगे इसी हाल से तो कहियो तू
जो रोज़े हश्र[3] तुझी को न उज्र ख़्वाह[4] करें

अगरचे सहल[5] हैं पर दीदनी[6] हैं हम भी 'मीर'
इधर को यार तअम्मुल[7] से गर निगाह करें

1. लिहाज़ 2. निर्वाह 3. प्रलय के दिन 4. उज्र करने वाला 5. आसान 6. देखने योग्य 7. सोच-विचार।

59

दिल से शौक़े रुख़े निकू[1] न गया
झाँकना-ताकना कभू न गया

हर क़दम पर थी उस की मंज़िल लेक[2]
सर से सौदा ए जुस्तजू[3] न गया

सब गये होशो सब्र ताबो तवाँ[4]
लेकिन ऐ दाग़ दिल से तू न गया

सुब्ह गर्दी[5] ही 'मीर' हम तो रहे
दस्ते कोताह[6] ता[7] सुबू[8] न गया

1. सुन्दर मुखड़ों का प्रेम 2. लेकिन 3. खोज करने की दीवानगी 4. शक्ति 5. माला से जप करना 6. छोटा हाथ 7. तक 8. मदिरा का घड़ा।

60

दुश्मनी हमसे की ज़माने ने
कि जफ़ाकार[1] तुझ-सा यार किया

ये तवह्हुम[2] का कारख़ाना है
याँ वही है जो एतबार किया

सद[3] रगे जाँ[4] को ताब[5] दे बाहम[6]
तेरी ज़ुल्फ़ों का एक तार[7] किया

हम फ़क़ीरों से बेअदाई[8] क्या
आन बैठे जो तुमने प्यार किया

सख़्त काफ़िर था जिन ने पहले 'मीर'
मज़्हबे इश्क़[9] इख़्तियार किया[10]

1. अत्याचारी 2. श्रम 3. सैकड़ों 4. दिल तक रक्त ले जाने वाली नाड़ी 5. शक्ति 6. परस्पर 7. बाल 8. बेरुख़ी 9. प्रेम का धर्म 10. अपना लिया।

61

देख आरसी को यार हुआ मह्वे नाज़[1] का
ख़ानाख़राब[2] हूजियो आईनासाज़[3] का

मारा न अपने हाथ से मुझको हज़ार हैफ़[4]
कुश्ता[5] हूँ यार मैं तो तेरे इम्तियाज़[6] का

इस लुत्फ़[7] से न गुंच ए नर्गिस[8] खिला कभू
खुलना तो देख उस मिझ ए नीमबाज़[9] का

हिलती है यूँ पलक कि गड़ी दिल में जाये है
अन्दाज़[10] दीदनी[11] है मेरे दिलनवाज़[12] का

फिर 'मीर' आज मस्जिदे जामा[13] के थे इमाम
दाग़े शराब[14] धोते थे कल जा-नमाज़[15] का

1. अभिमान में डूबा हुआ 2. घर बरबाद होना 3. दर्पण बनाने वाला 4. हज़ार अफ़सोस 5. मारा हुआ 6. विशेषता 7. आनन्द 8. नर्गिस की कली 9. अधखुली पलकें 10. शैली 11. दर्शनीय 12. मनमोहक 13. प्रमुख मस्जिद 14. मदिरा का धब्बा 15. वह कपड़ा, जिस पर बैठकर नमाज़ पढ़ी जाती है।

☙ 62 ❧

देख तो दिल कि जाँ से उठता है
ये धुआँ-सा कहाँ से उठता है

ग़ौर[1] किस दिलजले की है ये फ़लक[2]
शोला इक सुब्ह याँ से उठता है

ख़ाना ए दिल[3] से ज़ीनहार[4] न जा
कोई ऐसे मकाँ[5] से उठता है

बैठने कौन दे है फिर उस को
जो तेरे आस्ताँ[6] से उठता है

यूँ उठे आह उस गली से हम
जैसे कोई जहाँ[7] से उठता है

इश्क़ एक 'मीर' भारी पत्थर है
कब ये तुझ नातवाँ[8] से उठता है

1. क़ब्र 2. आसमान 3. दिल का घर 4. हर्गिज़ 5. घर 6. चौखट 7. संसार 8. कमज़ोर।

~ 63 ~

दैर ओ हरम[1] से गुज़रे अब दिल है घर हमारा
है ख़त्म इस आबले[2] पर सैरो सफ़र हमारा

हैं तेरे आईने की तिम्साल[3] हम न पूछो
इस दश्त में नहीं है पैदा असर[4] हमारा

नशो नुमा[5] है अपनी जूँ गर्द बाद[6] अनोखी
बालीदा[7] ख़ाके रह[8] से है ये शजर[9] हमारा

इस करवाँ सरा[10] में क्या 'मीर' बार[11] खोलें
याँ कूच लग रहा है शाम ओ सहर[12] हमारा

---

1. मन्दिर-मस्जिद 2. छाले 3. दर्पण की भाँति 4. प्रभाव 5. विकास 6. संसाररूपी शराब 7. विकसित 8. रास्ते की धूल 9. वृक्ष 10. सराय 11. सामान 12. शाम और सवेरा।

64

न दर्दमन्दी[1] से ये राह तुम चले वरना
क़दम-क़दम पे थी याँ जाए नाल-ओ-फ़रयाद[2]

चमन में उठते हैं सन्नाहटे-से ऐ बुलबुल
जिगरख़राश[3] ये नाले हैं तेरे मुँह से ज़ियाद[4]

सबाते कस्त्रो दरो बामो ख़िश्तो गिल[5] कितना
इमारते दिले दरवेश[6] की रखो बुनियाद

चमन में यार हमें ले गये थे वा न हुए[7]
हमारे साथ यही ग़म, यही दिले नाशाद[8]

1. हमदर्दी 2. रोने-पीटने की जगह 3. जिगर को चीर देने वाली 4. अधिक 5. महल, दरवाज़े, कोठे, ईंट और मिट्टी का स्थायित्व 6. फ़क़ीर के दिल की इमारत 7. न खुले 8. अप्रसन्न दिल।

65

पत्ता-पत्ता बूटा-बूटा हाल हमारा जाने है
जाने न जाने गुल ही न जाने बाग़ तो सारा जाने है

चारागरी[1] बीमारी ए दिल की रस्मे शहरे हुस्न[2] नहीं
वरना दिलबर नादाँ[3] भी इस दर्द का चारा[4] जाने है

मेहरो वफ़ा ओ लुत्फ़ो इनायत एक से वाक़िफ़[5] इनमें नहीं
और तो सब कुछ तंज़ों किनाया[6] रम्ज़ो इशारा[7] जाने है

क्या-क्या फ़ित्ने[8] सर पर उसके लाता है माशूक़ अपना
जिस बेदिल बेताबो तवाँ[9] को इश्क़ का मारा जाने है

1. इलाज 2. सौन्दर्य नगर की रीत 3. भोला प्रेमी 4. इलाज 5. परिचित 6. व्यंग्य 7. संकेत 8. उपद्रव 9. निर्बल।

66

पैग़ाम ग़मे जिगर का गुलज़ार तक न पहुँचा
नाला[1] मेरा चमन की दीवार तक न पहुँचा

जूँ नक़्शे पा[2] है गुर्बत[3] हैरान कार[4] उसकी
आवारा हो वतन से जो यार तक न पहुँचा

ये बख़्ते सब्ज़[5] देखो बाग़े ज़माना[6] में से
पझमुर्दा गुल[7] भी अपनी दस्तार[8] तक न पहुँचा

यूसुफ़[9] से ले के ता गुल[10] फिर गुल से ले के ता शम्आ[11]
ये हुस्न किसको लेकर बाज़ार तक न पहुँचा

1. आर्त्तनाद 2. पदचिह्न 3. दरिद्रता 4. आश्चर्यचकित 5. दुर्भाग्य 6. बाग़रूपी संसार 7. मुर्झाया हुआ फूल 8. पगड़ी 9. एक पैग़म्बर 10. फूल तक 11. चिराग़ तक।

फ़क़ीराना आये सदा कर चले
कि मियाँ ख़ुश रहो हम दुआ कर चले

जो तुझ बिन न जीने को कहते थे हम
सो इस अह्द[1] को अब वफ़ा कर चले

कोई नाउमीदाना[2] करते निगाह
सो तुम हम से मुँह भी छुपाकर चले

बहुत आरज़ू[3] थी गली की तेरी
सो याँ से लहू में नहाकर चले

जबीं[4] सिज्दे करते ही करते गयी
हक़्क़े बन्दगी[5] हम अदा कर चले

परस्तिश[6] की याँ तक कि ऐ बुत[7] तुझे
नज़र में सभों की ख़ुदा कर चले

कहें क्या जो पूछे कोई हमसे 'मीर'
जहाँ[8] में तुम आये थे क्या कर चले

1. प्रतिज्ञा 2. निराश 3. इच्छा 4. माथा 5. भक्ति का कर्तव्य 6. पूजा 7. हसीन प्रेमिका 8. दुनिया।

☙ 68 ❧

फिरता है ज़िन्दगी के लिए आह ख़्वार[1] क्या
इस वहम[2] की नमूद[3] का है एतबार क्या

क्या जानें हम असीरे क़फ़स ज़ाद[4] ऐ नसीम[5]
गुल कैसे बाग़ कहते हैं किसको बहार क्या

आँखें बरंगे नक़्शे क़दम[6] हो गयीं सफ़ेद
फिर और कोई उसका करे इन्तिज़ार क्या

मारा हो एक-दो को तो हो मुद्दई[7] कोई
कुश्तों[8] का उसके रोज़े जज़ा[9] में शुमार[10] क्या

पाते हैं अपने हाल[11] में मज्बूर सबको हम
कहने को इख़्तियार[12] है, पर इख़्तियार क्या

1. अपमानित 2. भ्रम 3. आविर्भाव 4. जन्मजात बन्दी 5. हवा 6. पदचिह्नों की भाँति 7. प्रतिवादी 8. मरे हुए 9. प्रलय के दिन 10. गिनती 11. दशा 12. अधिकार।

❧ 69 ☙

बँधा रात आँसू का कुछ तार-सा
हुआ अब्रे रहमत[1] गुनाहगार[2] सा

कोई सादा ही उसको सादा कहे
लगे है हमें तो वो अय्यार[3] सा

गुलो सर्व[4] अच्छे सभी हैं वले[5]
न निकला चमन में कोई यार-सा

फ़लक[6] ने बहुत खींचे आज़ार[7] लेक
न पहुँचा बहम[8] उस दिलआज़ार[9] सा

मगर आँख तेरी भी चिपकी कहीं
टपकता है चितवन[10] से कुछ प्यार-सा

1. दयारूपी बादल 2. अपराधी 3. चालाक 4. फूल और पौधे 5. लेकिन 6. आकाश 7. कष्ट उठाना 8. उपलब्ध होना 9. दिल दुखाने वाला 10. दृष्टि।

❧ 70 ❧

बग़ैर दिल[1] कि ये क़ीमत है सारे आलम की
किसू से काम नहीं रखती जिंस[2] आदम की

कोई हो महरमे शोख़ी[3] तेरा तो मैं पूछूँ
कि बज़्मे ऐशे जहाँ[4] क्या समझ के बरहम[5] की

हमें तो बाग़ की तक्लीफ़ से मुआफ रखो
कि सैरो गश्त[6] नहीं रस्म अह्ले मातम[7] की

क़फ़स[8] में 'मीर' नहीं जोशे दाग़[9] सीने पर
हवस[10] निकाली है हमने भी गुल के मौसम की

1. दिल के बिना 2. वस्तु 3. चंचलता को जानने वाला 4. संसार के भोग-विलास की सभा 5. बरबाद 6. सैर 7. शोक मनाने वाले 8. पिंजरा 9. दाग़ों की अधिकता 10. लोलुपता।

❧ 71 ❧

बात क्या आदमी की बन आयी
आसमाँ से ज़मीन नपवायी

चर्ख़ज़न[1] उसके वास्ते हैं मुदाम[2]
हो गया दिन तमाम रात आयी

माह ओ ख़ुरशीद ओ अब्रे बाद ओ[3] सभी
उसकी ख़ातिर हुए हैं सौदाई[4]

कैसे-कैसे किये तरद्दुद[5] जब
रंग-रंग[6] उसको चीज़ पहुँचायी

उसको तरजीह[7] सबके ऊपर दे
लुत्फ़े हक़[8] ने की इज़्ज़त अफ़्ज़ायी[9]

हैरत[10] आती है उसकी बातें देख
ख़ुदसरी[11] ख़ुदसिताई[12] ख़ुदआराई[13]

शुक्र[14] कि सिज्दों में ये वाजिब[15] था
ये भी करता सदा ज़बींसाई[16]

---

1. घूमने वाला 2. हमेशा 3. चाँद, सूरज, बादल और हवा 4. पागल 5. सोच-विचार 6. विभिन्न प्रकार की 7. प्रधानता 8. परमात्मा की कृपा 9. सम्मान देना 10. आश्चर्य 11. बग़ावत 12. आत्मप्रशंसा 13. मनमानी 14. आभार प्रदर्शित करना 15. उचित 16. माथा टेकना।

72

बेताब जी को देखा दिल को कबाब देखा
जीते रहे थे क्यों हम जो ये अज़ाब[1] देखा

पौदा सितम का जिसने इस बाग़ में लगाया
अपने किये का उन ने समरा[2] शिताब[3] देखा

दिल का नहीं ठिकाना बाबत[4] जिगर की गुम है
तेरे बलाकशों[5] का हमने हिसाब देखा

आबाद जिसमें तुझको देखा था एक मुद्दत
उस दिल की मुम्लिकत[6] को अब हम ख़राब देखा

लेते ही नाम उसका सोते से चौंक उठे हो
है ख़ैर 'मीर' साहब कुछ तुमने ख़्वाब देखा

1. दुःख 2. फल 3. शीघ्र 4. खाता 5. कष्ट उठाने वाला 6. राष्ट्र।

❧ 73 ❧

बेरंग बेसबाती[1] ये गुलिस्ताँ बनाया
बुलबुल ने क्या समझकर याँ आशियाँ[2] बनाया

उड़ती है ख़ाक यारब[3] शाम ओ सहर[4] जहाँ में
किस के ग़ुबारे दिल[5] से ये ख़ाकदाँ[6] बनाया

इक रंग पर न रहना याँ का अजब[7] नहीं है
क्या-क्या न रंग लाये तब ये जहाँ बनाया

नक़्शे क़दम[8] से उसके गुलशन की तरह[9] डाली
गर्दे रह[10] उसकी लेकर सर्वे रवाँ[11] बनाया

इस सहन[12] पर ये वुसअत[13] अल्लाह रे तेरी सन्अत[14]
मेमार[15] ने क़ज़ा[16] के दिल क्या मकाँ बनाया

---

1. नश्वर 2. घोंसला 3. हे परमात्मा 4. शाम-सवेरे 5. दिल की राख 6. मिट्टी से बना संसार 7. आश्चर्य 8. पदचिह्न 9. नींव 10. रास्ते की धूल 11. सरो नामक सदाबहार वृक्ष 12. आँगन 13. विस्तार 14. कारीगरी 15. निर्माता 16. मौत।

भरे रहते हैं सारे फूल ही जिसके गरेबाँ में
वो क्या जाने कि टुकड़े हैं जिगर के मेरे दामाँ[1] में

ख़याले यार[2] में आगे हैं यक महपारा[3] याँ हरदम
अगर हिज्राँ[4] में ज़िन्दानी[5] हूँ, पर हूँ यूसुफ़िस्ताँ[6] में

रखा अर्सा[7] जुनूँ[8] पर तंग[9] मुश्ताक़ों[10] की दूरी
किसे मारा है उस घतिये ने सम्मुख हो के मैदाँ में

जहाँ से देखिये इक शेरे शोर अंगेज़[11] निकले है
क़यामत का-सा हंगामा है हर जा[12] मेरे दीवाँ[13] में

हवा ए अब्र[14] में क्या 'मीर' हँसता बाग़ में वो
गिरी पड़ती है बिजली आज कुछ सहने गुलिस्ताँ[15] में

1. दामन 2. प्रेमिका का ध्यान 3. चाँद का टुकड़ा 4. विरह 5. बन्दी 6. सौन्दर्यपूर्ण नगर 7. अवधि 8. पागलपन 9. छोटा 10. जिज्ञासु 11. धूमधाम का शोर 12. हर जगह 13. काव्य संग्रह 14. बादलों के साये में चलने वाली हवा 15. बाग़ का आँगन।

☙ 75 ❧

मज़हब[1] से मेरे क्या तुझे, तेरा दयार[2] और
मैं और, यार और, मेरा कारोबार और

चलता है काम मर्ग[3] का ख़ूब उसके दौर[4] में
होती है गिर्द[5] शह्र के रोज़ इक मज़ार[6] और

बन्दे को उन फ़क़ीरों में गिनिये न शह्र के
साहब ने मेरे मुझको दिया एतबार[7] और

दर्दे सर अब जो इश्क़ का है ग़ौर[8] तक है साथ
कुछ ये नशा ही और है इसका ख़ुमार[9] और

काहे को इस क़रार[10] से था इज़्तिएराब-ओ-क़ल्क़[11]
होता है हाथ रखने से दिल बेक़रार और

किसको फ़क़ीरी में सर ओ दिल हुर्फ़[12] का है 'मीर'
करते हैं इस दिमाग़ पे हम इन्किसार[13] और

---

1. धर्म 2. स्थान 3. मृत्यु 4. ज़माना 5. आस-पास 6. क़ब्र 7. भरोसा 8. चिंतन 9. नशा 10. प्रकार 11. दिल की बेचैनी 12. अक्षर 13. विनम्रता।

76

मरते हैं हम तो आदमे ख़ाकी[1] की शान पर
अल्लाह रे दिमाग़ कि है आसमान पर

कुछ हो रहेगा इश्क़ो हवस[2] में भी इम्तियाज़[3]
आया है अब मिज़ाज[4] तेरा इम्तिहान पर

मुहताज[5] को ख़ुदा न निकाले कि जूँ हिलाल[6]
तशहीर[7] कौन शह्‌र में हो पारा नान[8] पर

शोख़ी[9] तो देखो आप ही कहा आओ बैठो 'मीर'
पूछा कहाँ तो बोले कि मेरी ज़ुबान पर

1. मिट्टी का पुतला 2. प्रेम और लोभ 3. विशेष 4. स्वभाव 5. विवश 6. नया चाँद 7. यश 8. रोटी का टुकड़ा 9. चंचलता।

77

मुनइम[1] ने बिना[2] ज़ुल्म की रख घर तो बनाया
पर आप कोई रात ही मेहमान रहेगा

छूटूँ कहीं ईज़ा[3] से लगा एक ही जल्लाद[4]
ता हश्र[5] मेरे सर पे ये अहसान रहेगा

जाने का नहीं शोर सुख़न का मेरे हरगिज़
ता हश्र जहाँ[6] में मेरा दीवान[7] रहेगा

1. धनवान 2. नींव 3. कष्ट 4. सर काटने वाला 5. प्रलय के दिन तक 6. संसार 7. काव्य संग्रह।

मुँह तका ही करे है जिस-तिस का
हैरती[1] है ये आईना किसका

शाम से कुछ बुझा-सा रहता हूँ
दिल हुआ है चिराग़ मुफ़लिस का

फ़ैज़[2] ऐ अब्र[3] चश्मे तर[4] से उठा
आज दामन वसीअ[5] है इसका

ताब किसको जो हाले 'मीर' सुने
हाल ही और कुछ है मजलिस[6] का

1. चकित 2. लाभ 3. बादल 4. आँसू भरी हुई आँखें 5. फैला हुआ 6. सभा।

मेह्र[1] की तुझसे तवक्क़ो[2] थी सितमगर[3] निकला
मोम समझे थे तेरे दिल को सो पत्थर निकला

दाग़ हूँ रश्के मुहब्बत[4] से कि इतना बेताब
किसकी तस्कीं[5] के लिए घर से तू बाहर निकला

जीते जी आह तेरे कूचे से कोई न फिरा
जो सितमदीदा[6] रहा, जा के सो मर कर निकला

दिल की आबादी की इस हद है ख़राबी कि न पूछ
जाना जाता है कि इस राह से लश्कर निकला

अश्के तर[7], क़तर ए ख़ूँ[8], लख़्ते जिगर[9], पार-ए-दिल[10]
एक से एक अदद[11] आँख से बहकर निकला

हमने जाना था लिखेगा तू कोई हर्फ़ ऐ 'मीर'
पर तेरा नामा[12] तो इक शौक़ का दफ़्तर निकला

1. प्रेम 2. आशा 3. अत्याचारी 4. प्रेम की ईर्ष्या 5. सन्तुष्टि 6. मुसीबत का मारा 7. आँसू 8. लहू की बूँदें 9. जिगर का टुकड़ा 10. दिल का टुकड़ा 11. नग 12. पत्र।

❦ 80 ❦

मौसमे अब्र[1] हो, सुबू[2] भी हो
गुल[3] हो, गुलशन[4] हो और तू भी हो

कब तक आईने[5] का ये हुस्न क़ुबूल[6]
मुँह तेरा इस तरफ़ कभू भी हो

सरकशी गुल की ख़ुश नहीं आती
नाज़[7] करने का वैसा रू भी हो

किसको बुलबुल है दमकशी का दिमाग़
हो तो गुल की ही गुफ़तगू[8] भी हो

दिल तमन्ना कदा[9] तो है पर 'मीर'
हो तो उसकी ही आरज़ू[10] भी हो

1. बरसात का मौसम 2. शराब 3. फूल 4. उपवन 5. दर्पण 6. रूप की स्वीकारोक्ति 7. घमण्ड 8. बातचीत 9. मकान 10. अभिलाषा।

81

यही मशहूरे आलम[1] हैं दो आलम
ख़ुदा जाने मिलाप उससे कहाँ हो

जहाँ सिज्दे[2] में हमने गश[3] किया था
वहीं शायद कि उसका आस्ताँ[4] हो

तुम ऐ नाज़ुक तनाँ[5] हो वह कि सब के
तमन्ना ए दिल[6] व आराम ए जाँ[7] हो

किनारा यूँ किया जाता नहीं फिर
अगर पाए मुहब्बत[8] दरमियाँ[9] हो

1. विश्वप्रसिद्ध 2. माथा टेकना 3. बेहोश 4. चौखट 5. कोमल शरीर वाले 6. दिल की कामना 7. आत्मा की शान्ति 8. प्रेम-संबंध 9. बीच में।

82

यारो मुझे मुआफ़[1] रखो, मैं नशे में हूँ
अब दो तो जाम[2] ख़ाली ही दो, मैं नशे में हूँ

मस्ती से दरहमी[3] है मेरी गुफ़्तगू[4] के बीच
जो चाहो तुम भी मुझको कहो, मैं नशे में हूँ

या हाथों-हाथ लो मुझे मानिन्दे जामे मै[5]
या थोड़ी दूर साथ चलो, मैं नशे में हूँ

माज़ूर[6] हूँ जो पाँव मेरा बेतरह[7] पड़े
तुम सरगिराँ[8] तो मुझसे न हो, मैं नशे में हूँ

भागी नमाज़े जुम्मा[9] तो जाती नहीं है कुछ
चलता हूँ मैं भी टुक तो रहो, मैं नशे में हूँ

नाज़ुक मिज़ाज[10] आप क़यामत[11] हैं 'मीर' जी
ज़ूँ शीशा[12] मेरे मुँह न लगो, मैं नशे में हूँ

1. क्षमा 2. मदिरा-पात्र 3. अस्त-व्यस्त 4. बातचीत 5. मदिरा-पात्र की भाँति 6. विवश 7. आड़ा-तिरछा 8. अप्रसन्न 9. जुम्मे की नमाज़ 10. कोमल प्रवृत्ति वाला 11. प्रलय 12. बोतल की भाँति।

83

ये चश्म[1] आईनादारे रू[2] थी किसू की
नज़र इस तरफ़ भी कभू थी किसू की

सहर पा ए गुल[3] बेख़ुदी[4] हमको आयी
कि उस सुस्त पैमाँ[5] में बू थी किसू की

ये सरगश्ता[6] जब तक रहा इस चमन में
बरंगे सबा[7] जुस्तजू[8] थी किसू की

जलाया शब[9] इक शोल ए दिल[10] ने हमको
कि उस तुन्द[11] सरकश[12] में ख़ूँ[13] थी किसू की

दमे मर्ग[14] दुश्वार[15] दी जान उन ने
मगर 'मीर' को आरज़ू थी किसू की

1. आँखें 2. चेहरे को देखने वाली 3. फूल के पाँव 4. स्वयं को भूलने की दशा 5. वचन का कच्चा 6. आवारा 7. हवा की भाँति 8. तलाश 9. रात 10. दिल की आग 11. प्रचण्ड 12. बाग़ी 13. आदत 14. मरते समय 15. मुश्किल से।

84

ये सरा सोने की जागह नहीं बेदार[1] रहो
हमने कर दी है ख़बर तुमको ख़बरदार रहो

लाग अगर दिल को नहीं, लुत्फ़[2] नहीं जीने का
उलझे-सुलझे किसू काकुल[3] के गिरिफ़्तार रहो

गर्चे वो गौहरे तर[4] हाथ नहीं लगता, लेक[5]
दम में दम जब तई है, उसके तलबगार[6] रहो

सारे बाज़ारे जहाँ[7] का है यही मोल ऐ 'मीर'
जाने को बेच के भी दिल के ख़रीदार रहो

---

1. जाने हुए 2. मज़ा 3. बालों की लटें 4. चमकदार मोती 5. लेकिन 6. इच्छुक 7. बाज़ाररूपी दुनिया।

❧ 85 ☙

रफ़्तगाँ[1] में जहाँ[2] के हम भी हैं
साथ उस कारवाँ[3] के हम भी हैं

शम्आ ही सर न दे गयी बरबाद
कुश्ता[4] अपनी ज़ुबाँ के हम भी हैं

जिस चमनज़ार[5] का है तू ये तर[6]
बुलबुल उस गुलिस्ताँ के हम भी हैं

बोसा[7] मत दे किसू के दर[8] पे नसीम[9]
ख़ाक उस आस्ताँ[10] के हम भी हैं

वज्हे बेगानगी[11] नहीं मालूम
तुम जहाँ के हो, वाँ के हम भी हैं

अपना शेवा[12] नहीं कजी[13] यूँ तो
यार जी टेढ़े-बाँके हम भी हैं

---

1. गुज़रे हुए लोग 2. संसार 3. काफ़िला 4. मृतक 5. उपवन 6. ताज़ा फूल 7. चुम्बन 8. दरवाज़ा 9. हवा 10. चौखट 11. अनजानेपन का कारण 12. चलन 13. टेढ़ापन।

86

राहे दूरे इश्क़[1] में रोता है क्या
आगे-आगे देखियो होता है क्या

सब्ज़[2] होती ही नहीं ये सरज़मीं[3]
तुख़्मे ख़्वाहिश[4] दिल में तू बोता है क्या

ग़ैरते युसुफ़ है ये वक़्ते अज़ीज़[5]
'मीर' इसको राएगाँ[6] खोता है क्या

1. प्रेम का लम्बा मार्ग 2. हरी 3. भूमि 4. इच्छा का बीज 5. बहुमूल्य समय 6. व्यर्थ।

☙ 87 ❧

लब[1] तेरे लाले नाब[2] हैं दोनों
पर तमामी[3] इताब[4] हैं दोनों

है तकल्लुफ़[5] नक़ाब[6] वे रुखसार[7]
क्या छुपे आफ़्ताब[8] हैं दोनों

तन के मामूरे[9] में यही दिल ओ चश्म[10]
घर थे दो, सो ख़राब हैं दोनों

सौ जगह उसकी आँखें पड़ती हैं
जैसे मस्ते शराब[11] हैं दोनों

पाँव में वो नशा तलब[12] का नहीं
अब तो सरमस्ते ख़्वाब[13] हैं दोनों

एक सब आग, एक सब पानी
दीदा ओ दिल[14] अज़ाब[15] हैं दोनों

आगे दरिया थे दीद ए तर[16] 'मीर'
अब जो देखो सराब[17] हैं दोनों

1. होंठ 2. शुद्ध रत्न 3. सब 4. क्रोध 5. शिष्टाचार 6. आवरण 7. गाल 8. सूरज 9. आबादी 10. दिल और आँखें 11. मदिरा में धुत 12. इच्छा 13. नींद में डूबे हुए 14. आँखें और हृदय 15. मुसीबत 16. आँसू भरी आँखें 17. मृग-मरीचिका।

❧ 44 ❧

लाइलाजी[1] से जो रहती है मुझे आवारगी
कीजिये क्या 'मीर' साहब बन्दगी[2] बेचारगी[3]

कैसी-कैसी सुहबतें[4] आँखों के आगे से गयीं
देखते ही देखते क्या हो गया यकबारगी[5]

अश्के ख़ूनी[6] आँख में भर ला के पी जाता हूँ मैं
मुहतसिब[7] रखता है मुझ पर तुह्मते मैख़्वारगी[8]

मत फ़रेबे सादगी[9] खा इन सियहचश्मों[10] का 'मीर'
इनकी आँखों से टपकती है बड़ी अय्यारगी[11]

---

1. जिसका इलाज न हो सके 2. आराधना 3. मजबूरी 4. संगत 5. अचानक 6. ख़ून के आँसू 7. मद्य-निषेध निरीक्षक 8. मदिरापान का आरोप 9. सादगी का धोखा 10. काली आँखों वाले 11. चालाकी।

ॐ 89 ॐ

लुत्फ़[1] अगर ये है बुताँ[2] सन्दले पेशानी[3] का
हुस्न क्या सुबह के फिर चेहरा ए नूरानी[4] का

कुफ़्र[5] कुछ चाहिए इस्लाम की रौनक़ के लिए
हुस्ने ज़ुन्नर[6] है तस्बीहे सुलेमानी[7] का

दरहमी[8] हाल की है सारे मेरे दीवाँ में
सैर कर तू भी ये मजमुआ[9] ए परेशानी का

जान घबराती है अन्दोह[10] से तन में क्या-क्या
तंग अहवाल[11] है इस युसुफ़े ज़िन्दानी का

खेल लड़कों का समझते थे मुहब्बत के तईं
है बड़ा हैफ़[12] हमें अपनी भी नादानी का

उसका मुँह देख रहा हूँ सो वही देखूँ हूँ
नक़्श[13] का-सा है समाँ[14] मेरी भी हैरानी का

बुतपरस्ती[15] को तो इस्लाम नहीं कहते हैं
मोतक़िद[16] कौन है 'मीर' ऐसी मुसलमानी का

---

1. आनन्द 2. सुन्दरियाँ 3. माथे पर लगा चन्दन 4. प्रकाशमान मुख 5. नास्तिकता 6. यज्ञोपवीत 7. जपने वाली माला 8. ख़राबी 9. संग्रह 10. दुःख 11. दशा 12. खेद 13. चित्र 14. दृश्य 15. मूर्तिपूजा 16. श्रद्धालु।

☙ 90 ❧

सब्ज़ाने ताज़ा रू[1] की जहाँ जल्वागाह[2] थी
अब देखिये तो वाँ नहीं साया दरख़्त का

जूँ बर्ग हाए लाला[3] परीशान हो गया
मज़्कूर[4] क्या है अब जिगर ए लख़्त-लख़्त[5] का

दिल्ली में आज भीख भी मिलती नहीं उन्हें
था कल तलक दिमाग़[6] जिन्हें ताज ओ तख़्त का

ख़ाके सियह[7] से मैं जो बराबर हुआ हूँ 'मीर'
साया पड़ा है मुझ पे किसू तीसबख़्त[8] का

1. नये उगे हुए पौधे 2. दर्शन स्थल 3. गुलाम 4. चर्चा 5. टुकड़े-टुकड़े जिगर 6. घमण्ड 7. अभागा 8. छोटा भाला।

❧ 91 ❧

सुना है हाल तेरे कुश्तगाँ[1] बेचारों का
हुआ न गौर गढ़ा[2] उन सितम के मारों का

हज़ार रंग खिले गुल चमन के हैं शाहिद[3]
कि रोज़गार[4] के सर ख़ून है हज़ारों का

मिला है ख़ाक में किस-किस तरह का आलम याँ
निकल के शह्‌र[5] से टुक सैर कर मज़ारों का

निगाहे मस्त[6] के मारे तेरी ख़राब हैं शोख़[7]
न ठौर है, न ठिकाना है होशयारों का

करे हैं दावा ए ख़ुशचश्मी[8] आहूवान ए दश्त[9]
टुक एक देखने चल मुल्क़ उन गँवारों का

तड़फ के मरने से दिल के कि मग्फ़िरत[10] हो उसे
जहाँ में कुछ तो रहा नाम बेक़रारों का

तड़फ के ख़िरमने गुल[11] पे कभी गिर ऐ बिजली
जलाना क्या ऐ मेरे आशियाँ[12] के ख़ारों का[13]

1. क़त्ल किये हुए 2. अन्तिम संस्कार 3. गवाह 4. संसार 5. दुनिया 6. मस्त नयन 7. चंचल 8. नेत्रों की सुन्दरता का दावा 9. जंगल के हिरण 10. मुक्ति 11. फूलों का ढेर 12. घोंसला 13. काँटों का।

92

हम अपनी चाके जैब[1] को सी रहते या नहीं
फाटे में पाँव देने को आये कहाँ से तुम

अब देखते हैं ख़ूब तो वो बात ही नहीं,
क्या-क्या वगरना कहते थे अपनी ज़ुबाँ से तुम

खुल जायेंगी फिर आँखें जो मर जायेगा कोई
आते नहीं हो बाज़ मेरे इन्तिहाँ[2] से तुम

जितने थे कल तुम आज नहीं पाते उतना हम
हरदम चले ही जाते हो आबे रवाँ[3] से तुम

1. फटा हुआ दामन 2. परीक्षा 3. बहता हुआ पानी।

93

हम जानते तो इश्क़ न करते किसू के साथ
ले जाते दिल को ख़ाक में इस आरज़ू[1] के साथ

था अक्स उस की क़ामते दिलकश[2] का बाग़ में
आँखें चली गयी हैं लगी आब जूँ[3] के साथ

नाज़ाँ[4] हो उसके सामने क्या गुल[5] खिला हुआ
रखता है लुत्फ़ै नाज़[6] भी रू ए निकू[7] के साथ

हम ज़र्द काहे ख़ुश्क[8] से निकले हैं ख़ाक से
बालीदगी[9] न ख़ल्क़[10] हुई इस नुमू[11] के साथ

1. कामना 2. मनमोहक 3. बहता पानी 4. गर्वित 5. फूल 6. सौन्दर्याभिमान का आनन्द 7. सुन्दर मुखड़ा 8. सूखी घास 9. उपज 10. निर्माण 11. बढ़ना।

☙ 94 ❧

हमने जाना था सुख़न[1] होंगे ज़ुबाँ[2] पर कितने
पर क़लम हाथ जो आयी लिखे दफ़्तर कितने

मैंने उस क़त्अ ए सन्नाअ[3] से सर खींचा है
कि इर इक कूचे में जिसके थे हुनरवर[4] कितने

आह निकली है ये किसकी हवस ए सैरे बहार[5]
आते हैं बाग़ में आवारा हुए पर कितने

देखियो पंजा ए मिझगाँ[6] की टुक आतशदस्ती[7]
हर सहर[8] ख़ाक में मिलते हैं दुरे तर[9] कितने

उम्र गुज़री कि नहीं दूदा ए आदम[10] से कोई
जिस तरफ़ देखिये अर्से[11] में हैं अब ख़र[12] कितने

तू है बेचारा गदा[13] 'मीर' तेरा क्या मज़्कूर[14]
मिल गये ख़ाक में याँ साहब अफ़सर[15] कितने

1. बोल 2. जीभ 3. कारीगरों के रहने का स्थान 4. कलाकार 5. बहार में सैर करने की इच्छा 6. पलकों का पंजा 7. अत्याचार 8. सुबह 9. आँसू 10. आदम का ख़ानदान 11. संसार 12. गधा 13. फ़क़ीर 14. चर्चा 15. ओहदेदार।

❧ 95 ❧

हमारे सामने तेरा जब किसू ने नाम लिया
दिले सितमज़दा[1] को हमने थाम-थाम लिया

ख़राब रहते थे मस्जिद के आगे मैख़ाने
निगाहे मस्त ने साक़ी की इन्तिक़ाम लिया

वो कज रविश[2] न मिला रास्ते में[3] मुझसे कभी
न सीधी तरह से उन ने मेरा सलाम लिया

मेरे सलीक़े से मेरी निभी मुहब्बत में
तमाम उम्र मैं नाकामियों से काम लिया

अगर्चे गोशागुज़ी[4] हूँ मैं शाइरों में 'मीर'
प मेरे शोर ने रू ए ज़मीं[5] तमाम लिया

1. दुखी हृदय 2. टेढ़ी बात करने वाला 3. सीधी तरह 4. एकान्तवासी 5. धरती की सतह।

96

हर ज़ीहयात[1] का है सबब जो हयात का
निकले है जी ही उसके लिए क़ाइनात[2] का

बिखरी है ज़ुल्फ़ उस रुख़े आलमफ़रोज़[3] पर
वरना बनाव होवे न दिन और रात का

उसके फ़रोग़े हुस्न[4] से झमके है सब में नूर[5]
शम ए हरम[6] हो या कि दिया सोमनात का

क्या मीर तुझको नामासियाही[7] का फ़िक्र है
ख़त्मे रस्ल-सा[8] शख़्स है ज़ामिन[9] निजात[10] का

---

1. प्राणी 2. सृष्टि 3. सृष्टि को अपनी रौशनी से चमका देने वाला मुखड़ा 4. सौन्दर्य का उजाला 5. रौशनी 6. काबे का दीया 7. कर्मपत्र की कालिख 8. अन्तिम रसूल 9. ज़मानत देने वाला 10. मुक्ति।

97

हस्ती[1] अपनी हुबाब[2] की-सी है
ये नुमाइश सराब[3] की-सी है

नाज़ुकी उसके लब[4] की क्या कहिये
पंखुड़ी इक गुलाब की-सी है

बार-बार उसके दर पे जाता हूँ
अब इज़्तिराब[5] की-सी है

मैं जो बोला कहा कि थे आवाज़
उसी ख़ानाख़राब[6] की-सी है

'मीर' उन नीमबाज़[7] आँखों में
सारी मस्ती शराब की-सी है

1. अस्तित्व 2. बुलबुला 3. मरीचिका 4. होंठ 5. बेचैनी 6. बरबाद 7. अधखुली।

⁂ 98 ⁂

हाथ से तेरे अगर मैं नातवाँ[1] मारा गया
सब कहेंगे ये कि क्या इक नीमजाँ[2] मारा गया

वस्ल ओ हिज्राँ[3] ये जो दो मंज़िल[4] हैं राहे इश्क़[5] की
दिले ग़रीब इनमें ख़ुदा जाने कहाँ मारा गया

दिल ने सर खेंचा दयारे इश्क़[6] में ऐ बुलहवस[7]
वो सरापा आरज़ू[8] आख़िर जवाँ मारा गया

कब नियाज़े इश्क़[9] नाज़े हुस्न[10] से खींचे है हाथ
आख़िर-आख़िर 'मीर' सर बर आस्ताँ[11] मारा गया

1. कमज़ोर 2. अधमरा 3. मिलन और विरह 4. पड़ाव 5. प्रेम का मार्ग 6. प्रेमनगर 7. बहुत लालची 8. पूर्ण अभिलाषा 9. प्रेम की आस्था 10. सौन्दर्य का अभिमान 11. चौखट पर सर रखे हुए।

☙ 99 ❧

है आग का-सा नाल-ए-काहिश फ़िज़ा[1] का रंग
कुछ और सुबह दम से हुआ है हवा का रंग

देखे इधर तो मुझ से न यूँ आँख वह छुपाये
ज़ाहिर है मेरे मुँह से मेरे मुद्दआ[2] का रंग

किस बेगुनाह[3] के ख़ूँ[4] में तेरा पड़ गया है पाँव
होता नहीं है सुर्ख़[5] तो ऐसा हिना[6] का रंग

गुल[7] पैरहन न चाक[8] करें क्योंकि रश्क[9] से
किस मर्तबे में[10] शोख़[11] है उसकी क़बा[12] का रंग

पूछे हैं वज्हे गिरिया ए ख़ूनी[13] जो मुझसे लोग
क्या देखते नहीं हैं सब उस बेवफ़ा का रंग

मक़दूर[14] तक न गुज़रे मेरे ख़ूँ से यार 'मीर'
ग़ैरों से क्या गिला[15] है ये है आश्ना[16] का रंग

1. कष्ट देने वाला आर्त्तनाद 2. उद्देश्य 3. निरपराध 4. लहू 5. लाल 6. मेहँदी 7. फाड़ना 8. फूल 9. ईर्ष्या 10. अधिक 11. तेज़ 12. कपड़े 13. ख़ून के आँसू बहाने का कारण 14. सम्भव 15. शिकायत 16. परिचित

100

है इश्क़ में सब्र[1] नागवारा[2]
फिर सब बिन और क्या है चारा

यूँ बात करे है मेरे ख़ूँ की?
गोया[3] नहीं उसने मुझको मारा

देखो हो तो दूर भागते हो
कुछ पास नहीं तुम्हें हमारा

था किसको दिमाग़े बाग़[4] उस बिन
बुलबुल ने बहुत मुझे पुकारा

जब जी से गुज़र गये हम 'मीर'
उस कूचे[5] में तब हुआ गुज़ारा

1. धैर्य 2. बुरा लगना 3. मानो 4. बाग़ में जाने की इच्छा 5. गली।

www.ingramcontent.com/pod-product-compliance
Lightning Source LLC
LaVergne TN
LVHW100334181026
850499LV00039B/1074
* 9 7 8 9 3 9 5 2 4 2 8 7 5 *